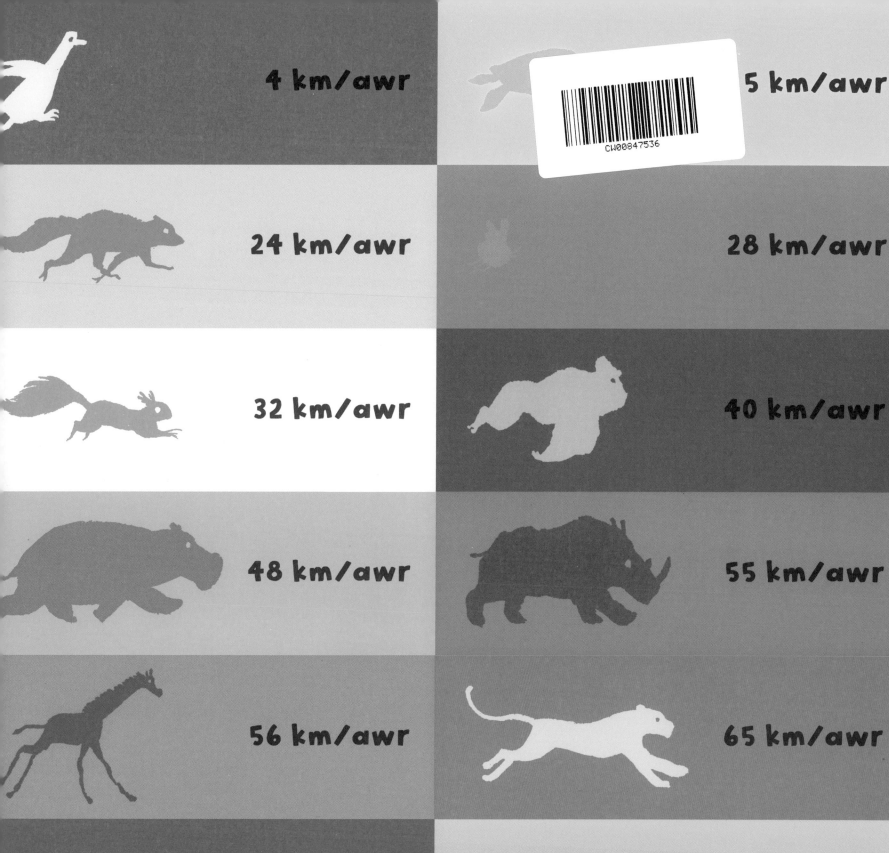

4 km/awr

5 km/awr

24 km/awr

28 km/awr

32 km/awr

40 km/awr

48 km/awr

55 km/awr

56 km/awr

65 km/awr

85 km/awr

112 km/awr

I Jodie – T.N.

I Dana – R.C.

Cyhoeddwyd gan Rily Publications Ltd. 2023
Blwch Post 257, Caerffili CF83 9FL
Hawlfraint yr addasiad © Rily Publications Ltd 2023
Addasiad: Luned Aaron

Gan fod llawer o rigymau a chyflythrennu yn y testun gwreiddiol,
addasiad yn hytrach na chyfieithiad yw'r testun Cymraeg.

As there is a great deal of rhyming and alliteration in the original text,
the Welsh text is an adaptation rather than a translation.

www.rily.co.uk

Cyhoeddwyd gyntaf yn y DU yn 2023 dan y teitl *There's Nothing Faster than a Cheetah* gan Macmillan
Children's Books, is-gwmni Pan Macmillan, The Smithson, 6 Briset Street, London EC1M 5NR

Hawlfraint testun © Tom Nicoll 2023
Hawlfraint darluniau © Ross Collins 2023
Mae hawl Tom Nicoll a Ross Collins i'w cydnabod yn awdur a darlunydd
y gwaith hwn wedi ei arddel ganddynt yn unol â Deddf Hawlfraint, Dylunio a Phatentau 1988.

ISBN 978-1-80416-358-0

Mae cofnod catalog CIP o'r llyfr hwn ar gael gan y Llyfrgell Brydeinig.

FSC
www.fsc.org
CYMYSGEDD
Papur | Yn cefnogi
coedwigaeth gyfrifol
FSC® C010256

Gwnaethpwyd y llyfr hwn o
bapur ardystiedig gan y Cyngor
Stiwardio Fforestydd™ i ddynodi
ymrwymiad y cyhoeddwyr i
ddyfodol cynaliadwy.

Mae'r cyhoeddwr yn cydnabod cefnogaeth ariannol Cyngor Llyfrau Cymru.

Argraffwyd yn China

 0.001 km/awr

 1 km/aw

 12 km/awr

 17 km/aw

 30 km/awr

 32 km/aw

 44 km/awr

 48 km/aw

 56 km/awr

 56 km/aw

 67 km/awr

80 km/aw

TOM NICOLL *a* ROSS COLLINS

DOES DIM
YN *GYFLYMACH* NA'R
TSITA

ADDASIAD LUNED AARON

Ras, meddet ti? Wel, dyna
gyffrous! Pwy sydd fan acw ar
y llinell gychwyn?

A race? How exciting!
But who's that on the
starting line?

Malwoden ydi'r bwten fach,
a'r un hy ydi'r tsita cry'.

The small one is a snail
and the cheeky looking
one is a cheetah.

Ond paid â chyffroi —
mae malwod yn rhy ara' i ddal tsita.

But don't get too excited.
Snails are *too* slow to
chase cheetahs.

WIZZ!

Coelia di fi, does DIM yn gyflymach na'r tsita!

In fact, there's NOTHING faster than a cheetah!

Dim?

Nothing?

DIM
NOTHING

Dim rhinoseros sy'n rholio?

Not a rhino on roller-skates?

Pengwiniaid sy'n prancio ar ffyn pogo?

Penguins on pogo sticks?

DIM PERYG!

NO WAY!

Byfflo'n beicio?

A buffalo on a bicycle?

SORRI.

SORRY.

Beth am hipo sy'n hedfan?

What about a hippo in a hang-glider?

MAE'N AMHOSIB.

NOT A CHANCE.

Jiráff â jet ar ei gefn?

A giraffe in a jetpack?

DIM GOBAITH CANERI.

That's a TALL ORDER.

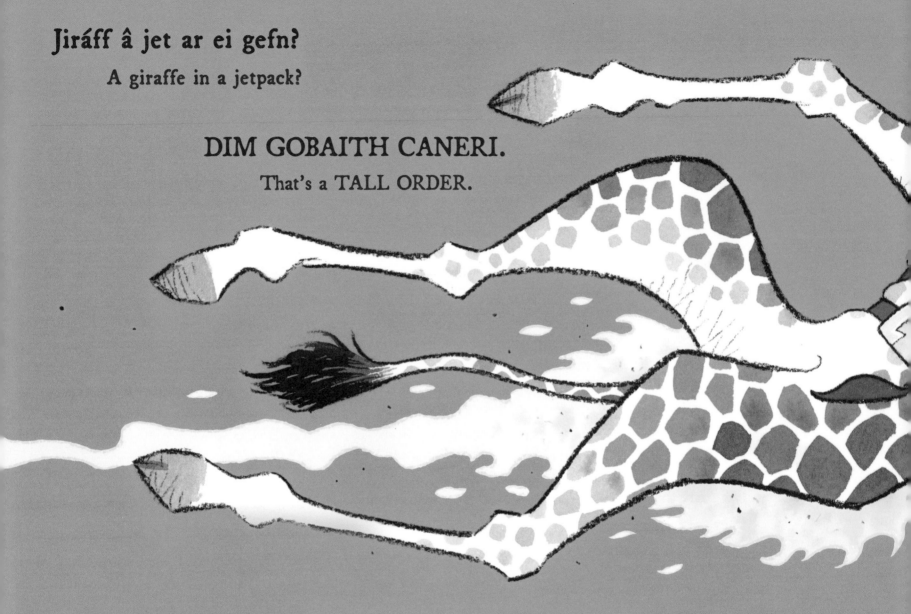

Llygod lloerig ar fotor-beics?

How about some mice on motorbikes?

DIM FFIARS
O BERYG.

She'll make
SHORT WORK
of them.

Oes siawns go lew gan lew mewn lorri?

Surely a lion in a lorry at least has a chance?

NAC OES WIR.

You'd think so, but NO.

Cadno coch mewn injan groch?

A fox in a fire engine perhaps?

ANNHEBYGOL.

PERHAPS NOT.

Wn i: crocodeil mewn clamp o fan?

I know: a crocodile in a campervan!

Mae'n llawer rhy araf.

He can't keep up.

Arth ar antur mewn bygi traeth?

A bear on a beach buggy?

Dwi'n amau.

Barely a bother.

Ydi'r tsita'n iawn? Ydi o wedi ymlâdd?

Is cheetah ok? She looks exhausted . . .

Nac ydi! Dim ond mymryn yn flinedig ar ôl curo crwbanod a theigr mewn tacsi.

She's fine. Just a little tired from trouncing a tortoise, a tiger and two turtles in a taxi.

Wyt ti'n siŵr?
Oes angen seibiant arno?
Are you sure?
Maybe she should take a break?

A cholli'r ras i wiwerod ar wib?
And lose to some squirrels on snowmobiles?

DIM DIOLCH!
NO THANK YOU!

Mae'r gorilas sy'n sgrialu yn nesu.

Those gorillas in go-karts are gaining on her.

**Gwranda: does DIM
yn gyflymach na'r tsita!**

I've told you NOTHING is
faster than a cheetah!

GAN GYNNWYS llond bws
o foch daear a gwenyn a
chŵn â'u sŵn?

INCLUDING bees and
badgers and beagles
on buses?

YN ENWEDIG llond bws o foch daear a gwenyn a chŵn â'u sŵn.
ESPECIALLY bees and badgers and beagles on buses.

Racŵn mewn car rasio?

A racoon in a racing car?

Ym ... ydi hynny WIR yn deg?

Er ... is that REALLY fair?

Camel o'r canon?

A camel out of a cannon?

Daeth yn nes na'r lleill.

He came closer than most.

Cwningen ar ruthr mewn roced? DOES BOSIB . . .

A rabbit in a rocket? SURELY . . .

NA. Dim hyd yn oed hynny.

NO not even that.

Dyna ni felly. Does DIM, am wn i,
yn gyflymach na'r tsita!

Then that's it. I guess NOTHING
is faster than a cheetah!

Mi ddwedais i, on'd do?
Wel, efallai fod un peth . . .

Didn't I tell you that?
Well, perhaps just one thing . . .

BETH? Beth allai fod yn gyflymach na'r tsita?
WHAT? What could possibly be faster than a cheetah?

Yr UNIG beth cyflymach na'r tsita ydi . . . .
The ONLY thing faster than a cheetah is . . .

. . . Un deg saith malwoden
seimllyd, slei, yn symud yn sydyn
ar sglefrfwrdd stêm swnllyd!

. . . Seventeen sneaky snails
stuck to a self-made, seriously silly,
supersonic, steam-powered skateboard!

 0.001 km/awr

 1 km/aw

 12 km/awr

 17 km/aw

 30 km/awr

 32 km/aw

 48 km/awr

 48 km/aw

 56 km/awr

 56 km/aw

 80 km/awr

85 km/aw

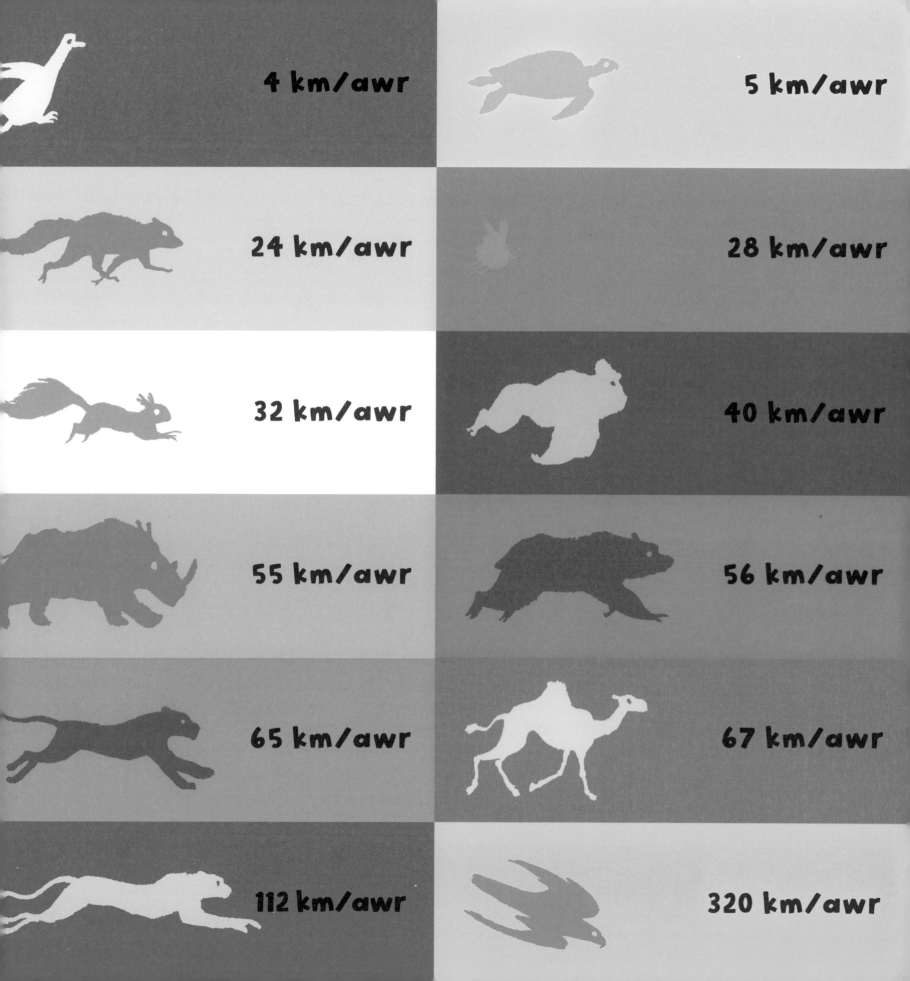

4 km/awr

5 km/awr

24 km/awr

28 km/awr

32 km/awr

40 km/awr

55 km/awr

56 km/awr

65 km/awr

67 km/awr

112 km/awr

320 km/awr

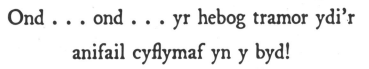

Ond . . . ond . . . yr hebog tramor ydi'r
anifail cyflymaf yn y byd!

But . . . but . . . peregrine falcons are
the fastest animals in the world!

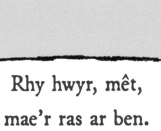

Rhy hwyr, mêt,
mae'r ras ar ben.

Too late, mate,
the race is over.